登場人物介紹

華生

曾是軍醫，為人善良又樂於助人，是福爾摩斯查案的最佳拍檔。

福爾摩斯

居於倫敦貝格街 221 號 B，精於觀察分析，知識豐富，曾習拳術，又懂得拉小提琴，是倫敦著名的私家偵探。

狐格森　**李大猩**

蘇格蘭場的孖寶警探，愛出風頭，但查案手法笨拙，常要福爾摩斯出手相助。

愛麗絲

房東太太親戚的女兒，為人牙尖嘴利，連福爾摩斯也怕她三分。

里克曼

皇冠馬戲團團長，奧蘭多和艾瑪之父。

奧蘭多

皇冠馬戲團的空中飛人，里克曼的兒子、艾瑪之兄。

艾瑪

皇冠馬戲團的女飛人，里克曼的女兒、奧蘭多之妹。

哥林

皇冠馬戲團的空中飛人，里克曼的養子。

里奇 & 馬林

皇冠馬戲團的小丑。

案發地點

皇冠馬戲團

準備與飛魚馬戲團合併。

CONTENTS
空中的悲劇

馬戲團的意外

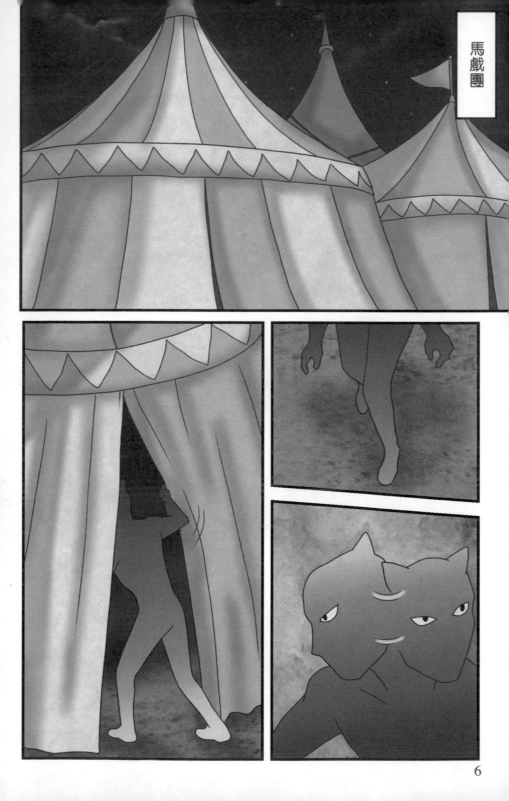

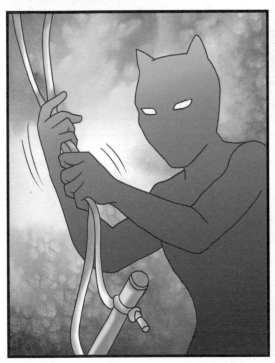

咦？奧蘭多，這麼晚還沒睡？

沒甚麼。

只是睡不着，出來散個步。

當心着涼啊。

對……這天氣很容易着涼。

對了，里奇、馬林，你倆怎麼還沒睡？

我們去看球賽，又去喝酒，所以晚了。

幸運罷了，要再贏三場才能奪冠，哪有這麼簡單。

今天是阿仙奴對阿士東維拉，阿士東維拉贏了。

9

前天阿士東維拉的球賽太精彩了!

那場決賽的票很貴啊,你怎買到的?

嘻嘻,我看球賽是免費的。

怎可能?

阿猩知道球場鐵絲網有破洞,從那裏進去就不用錢了。

哼!這是以身試法!你還敢說出來。

牠為何會被毒死？

我們也不知道。

小黑是被人毒死的。

甚麼？

牠個性溫馴，不會亂叫，左鄰右舍都很喜歡牠。

……小黑太可憐了

牠死前吐得很厲害，一定很痛苦。

……

別哭了，小黑一定已在天堂安息了。

14

表演快開始了。

啊。好緊張

看！兩個小丑跌跌撞撞都不會跌傷，真厲害！

有甚麼了不起，裝瘋賣傻似的。

大象踏皮球更好看。

大象笨笨的，笨人才愛看，小丑更好啊。

笨蛋！

吵死了，早知不帶你們來。

甚麼？你別出口傷人！

查案？查甚麼案？

我是來查案的，你們安靜些。

十天前這裏出了意外，有人聘我調查。

我知道！

阿猩說，有空中飛人表演時失手墮下，雖然大難不死，但仍昏迷未醒。

沒錯，他叫哥林，據說是沒抓牢搭擋，從50呎高空摔下。

他先摔到小丑推出去的皮球上，再反彈回台板才沒死。不過傷了頸骨，醒來也會全身癱瘓。

太慘了，你來看空中飛人？

正是。

而且今晚是最後一場表演，之後會與飛魚馬戲團合併，表演可能改變。

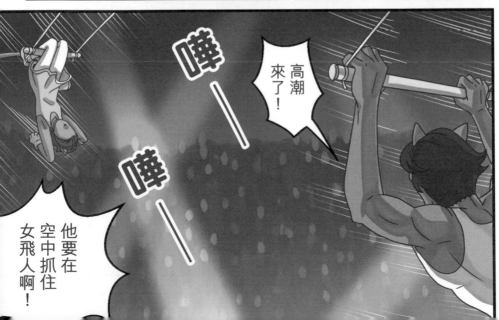

附錄 成語小遊戲①

露出馬腳

例句：他自以為把罪證藏好，可惜百密一疏，露出馬腳而被抓住了。

真相沒有掩飾好，暴露了出來。

二十一畫

這裏四個成語，各自都缺了一個字，你懂得嗎？

| 藏□露尾 | 馬首是□ |
| 喜出□外 | 指□畫腳 |

左鄰右舍

附近的鄰居和居民。

例句：以前的公共屋村中，左鄰右舍會互相幫忙，關係很好。

五畫

第一及第三字相反的成語有很多，你懂得這幾個嗎？請從「前/後、左/右、東/西、南/北」中選出正確答案。

| □仆□繼 | □歪□倒 |
| □轅□轍 | □顧□盼 |

裝瘋賣傻

故意假裝成愚笨瘋癲的樣子。

P.16

看！兩個小丑跌跌撞撞都不會跌傷！真厲害！

有甚麼了不起，裝瘋賣傻似的。

例句：他經常在銀幕前裝瘋賣傻，其實他學識淵博，還當過大學教授呢！

以下三個成語都是「裝」字開頭，大家懂得如何接上嗎？

裝腔 □□　　　裝模 □□
裝神 □□

P.17

我知道！

阿猩說，有空中飛人表演時失手墮下，雖然大難不死，但仍昏迷未醒。

大難不死

遇上災禍卻幸運地沒有死去，後面常接「必有後福」。

以下的字由四個四字成語分拆而成，每個成語都包含了「大難不死」的其中一個字，你懂得把它們還原嗎？

大哄出毛
書難一笑
生拔不竹
馨入堂死

我的答案：
① _____
② _____
③ _____
④ _____

例句：他在車禍中大難不死，雖然康復之路漫長，但他必定能堅強面對。

致命的毒藥

怎會……
奧蘭多……
怎會失手……

團長。

我先安排觀眾退場。

女飛人看來大受打擊呢。

他就是馬戲團團長。

她叫艾瑪，是團長的女兒、奧蘭多的妹妹。

真是禍不單行，男朋友摔傷昏迷，哥哥又死了。

她豈不是接連失去兩位至親？

艾瑪

父女

情侶

兄妹

團長
里克曼

奧蘭多
（摔死）

哥林
（昏迷）

……

小兔子、愛麗絲，通知蘇格蘭場孖寶。

遵命！

快走吧，笨兔。

一小時後

我們來了。

怎麼每次有意外，你們都在現場？

我也不想，這次是受託查案。

難道那案子與今天的事有關？

十天前的空中飛人意外。

查甚麼案？

不肯定，但接二連三發生意外，必須假設互有關連。

驗屍了嗎？

驗過了，應該是摔死的。

那沒甚麼可疑了。

表面上是，但要解剖後才能確定。

……依我看

這不是單純的意外。

他突然身體抽搐，然後全身乏力摔下，不像失手。

為何這樣說？

34

只憑肉眼觀察，能肯定嗎？

當然不能就此下結論。

你們來到前，我檢查過死者的杯子。

有重要發現！

難道……你在杯中發現毒藥？他因為毒發才會抽搐？

正是，但我沒有找到毒藥。

吓？你在說甚麼？杯子沒發現毒藥，但死者又中毒了？

我在杯中找到煙絲的碎屑。

啊！……這個……

有煙絲又怎樣？咖啡混了煙絲也不會中毒吧。

這個就由專業醫生來解答吧。

一般人誤以為香煙沒有劇毒，但其實一枝的毒已能致命。

當然，抽煙吸入的煙毒性溫和，不會馬上中毒。

但把整枝香煙的煙絲吞下，成年人會中毒，嬰兒更足以致命。

煙絲中的尼古丁含劇毒。

把煙絲泡在水中，就能溶出尼古丁。高濃度的尼古丁水可用來殺人啊。

原來如此，但尼古丁水沒有味道嗎？死者會察覺吧。

我已問過了，死者喜歡喝濃咖啡，足以蓋過尼古丁的味道。

不，如果死者抽煙，有機會把唇邊的煙絲沾到杯上啊。

對，你查過死者抽煙嗎？

我確認過，死者會抽煙。

啊！

竟能在短時間內查到這麼多，真屬害。

原來如此，的確很可疑！

但落毒者是誰？你有頭緒嗎？

還沒，但兩宗意外都在表演中途發生，馬戲團的人都有嫌疑。

說了等於沒說！

一個馬戲團有幾十人，怎找啊？

我已把調查範圍收窄至幾人，先說一下他們的背景吧。

團長里克曼年輕時也是空中飛人，退役後成立了皇冠馬戲團，並訓練兒子奧蘭多和女兒艾瑪繼承衣缽。

他還收養了孤兒哥林，訓練對方成材。哥林就是那摔傷昏迷的空中飛人。

可是近年馬戲團經營困難，加上奧蘭多欠下賭債，所以奧蘭多提議與飛魚馬戲團合併。

艾瑪與哥林青梅竹馬，感情很好，團中各人都認為他倆會結婚。

飛魚馬戲團的團長也同意，認為能減少競爭對手。

但條件是要艾瑪嫁給他。

艾瑪一心要嫁給哥林，當然不答應，於是和哥哥大吵一場。

可是奧蘭多表示如果艾瑪不答應，就把哥林趕出馬戲團。

艾瑪和哥林暗地商量，決定一起離團私奔。

但在兩人私奔前一晚，哥林就出事了。

怎會這麼巧合？

對！當中必有內情！

這懷疑非常合理。

我的當事人就是因此找我調查的。

對了，你還沒說當事人是誰？

問得好，我的當事人——

禍不單行

不幸的事一件接一件發生。前面常接「福無重至」。

真是禍不單行，男朋友摔傷昏迷，哥哥又死了。

P.31

例句：他剛在車禍中受傷，又發現患上不治之症，真是禍不單行。

很多成語都與「福」及「禍」有關，大家懂得如何接上嗎？

禍□□□ 説話不慎而引起災禍。
福□東□ 祝福語，形容福氣像海般廣大。
罪□禍□ 策劃犯罪的頭領，或災禍的根本原因。
□威□福 專橫攬權，欺壓別人。

接二連三

例句：她教導的學生接二連三在比賽中獲得優異成績。

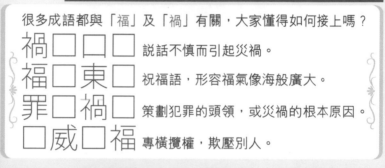

驗屍了嗎？應該是摔死的。驗過了，沒甚麼可疑。

不肯定，但接二連三發生意外，必須假設互有關連。

事件接連發生。

P.33

很多成語都包含了數字，你懂得這幾個嗎？請填上空格。

□花□門　　□頭□臂　　□分□裂
□零□落　　□牛□毛　　□石□鳥

十三畫

十一畫

不約而同

P.38

沒有經過商討約定，卻有相同的看法或行動。

例句：她們兩人總是不約而同地借閱同一本書。

這裏有十二個調亂了的字可組成三個四字成語，而每個都包含一個「而」字，你懂得把它們還原嗎？

樂 從 而 輕 忘 而 善 舉 易 擇 而 返

我的答案：

① ＿＿＿＿＿＿＿＿　② ＿＿＿＿＿＿＿＿　③ ＿＿＿＿＿＿＿＿

青梅竹馬

例句：他們已認識二十多年，是青梅竹馬的好友。

男女孩童結伴玩耍，引申為從小認識，關係要好。

以兩個詞語組成的成語有很多，你懂得把正確答案連在一起嗎？

雞飛 ● ● 麟角
鳳毛 ● ● 買馬
鏡花 ● ● 狗跳
招兵 ● ● 水月

艾瑪與哥林青梅竹馬，感情很好，團中名人都認為他倆會結婚。

P.41

空中的殺意

我的當事人就是——

艾瑪!

對!

我明白了,她懷疑有人為阻私奔製造意外,企圖謀殺哥林!

難道那意外是奧蘭多做的?

一定是他!

48

很有可能。

如果私奔成功，不但合併會失敗，馬戲團也會倒閉，他必須先發制人。

……

可是他自己摔死又如何解釋呢？

兇手是艾瑪，她是為了替哥林報仇！

這不合邏輯,如果她要殺人,又怎麼會聘用福爾摩斯調查呢?

你太老實了,華生醫生,她是想掩飾罪行,騙不了我的。

可是艾瑪不像會對親哥哥狠下殺手啊。

你聽過蛇蠍美人吧?她為了報仇,甚麼都有可能做。

好!馬上把她抓起來!

且慢……艾瑪雖有動機,但我們沒有證據,怎起訴她?

對,艾瑪確實嫌疑最大。

50

我最拿手逼供，她一定會招認。

走吧。

等等我啊。

我們去醫院探望哥林吧。

他仍然昏迷吧，能提供甚麼線索？

他是案中關鍵，總要親眼看看，才放心。

醫院

兩位來探病嗎？

保安真嚴密，連探病都要登記。

請在訪客探病記錄上登記。

你看，艾瑪每天下午2點都來探病，逗留兩小時呢。

對，她真的是一往情深呢。

52

里奇也是每天都來，

日期	探病者	入	出
		9:15pm	11:46pm
5月5日	里克麥等四人送哥林入院	1:00pm 2:00pm 5:00pm	1:30pm 4:00pm 6:00pm
5月6日	里克麥 & 奧蘭多 艾瑪 里奇	1:00pm 2:00pm 5:00pm	1:30pm 4:00pm 6:00pm
5月7日	里克麥 & 奧蘭多 艾瑪 里奇	1:00pm 2:00pm 5:00pm	1:30pm 4:00pm 6:00pm
5月8日	里克麥 & 奧蘭多 艾瑪 里奇	2:00pm 5:00pm	4:00pm 6:00pm
5月9日	艾瑪 里奇	2:00pm 5:00pm	4:00pm 4:45pm 5:15pm 9:15pm
5月10日	艾瑪 里奇	2:00pm 4:15pm 5:00pm 6:20pm	4:00pm 6:00pm
5月11日	艾瑪 里克麥 & 奧蘭多 里奇 里奇 & 艾瑪	2:00pm 5:00pm	4:00pm 6:00pm
5月12日	艾瑪 里奇	2:00pm 5:00pm	
5月13日	艾瑪 里奇		10:15pm
5月14日	福爾摩斯 & 華生		

不過比艾瑪遲一小時。

他是哥林的徒弟，就是那高個子小丑。

原來是他。

既然曾成功，我們也不妨試試。

我們不是親屬，未必有效啊。

據說與昏迷病人說話，有可能喚醒他，是真的嗎？

有可能，所以醫生都鼓勵親屬這樣做。

可是艾瑪被捕，想叫她來也不行呢。

我認為她是清白的，再憎恨也不會殺死哥哥吧。

況且她報仇前，也要有證據證明哥哥是兇手。

可惜她落在蘇格蘭場警探手上，說不定會屈打成招啊。

我也認同，所以她才聘請我調查奧蘭多。

別小看他們，他們不會對女人手軟。

一旦認定艾瑪是兇手，必定會折磨至她認罪。

……咦

不會這麼離譜吧。

你怎知道不是艾瑪殺的？

因為……

奧蘭多是我殺的！

你癱瘓在床，如何行兇？

我可以指使他人做啊。

指使誰？

不能說，我不能讓幫助我的人受牽連。

明白，但你能證明令你受傷的是奧蘭多嗎？冤枉好人怎麼辦？

嘿！世事實在奇妙。

就讓我告訴你們事情的經過吧。

甚麼意思？

讓我們熱烈歡迎兩位飛人——奧蘭多和哥林！

在發生意外前兩天，即5月3日，我已幾乎失手墮地。

我打了兩個空翻後，要在半空中抓住奧蘭多的手。

我們一起長大和訓練，默契非常好，理應不會出錯。

60

可是當天他盪過來高和快了一點，我們對這生死攸關的差異非常敏感。

幸好我反應快，成功抓住他的手肘，閃過一下猶豫。但他當時

?!

表演完後他並無異樣，我也沒有開口質疑，因為沒有證據的指控反而不利。

當天深夜，我打算悄悄檢查秋千時，發現一個黑影在秋千頂部。

我認得那是奧蘭多，他在把秋千的繩子調回正常長度。

我終於明白，假如當時我稍不留神，就會摔個粉身碎骨。

里克曼先生無私地養育我，又教導我成空中飛人。

如果我告發他的兒子，就是忘恩負義了。

既然你知道奧蘭多想殺你，為何仍要表演？

你很難理解我的心情……

你不怕奧蘭多對你不利嗎？

我當然怕，但我也相信自己的身手。

而且我和艾瑪已約好在5月6日一早出走，出事那天是最後一次表演。

只要小心提防，我想不到他如何在眾目睽睽之下行兇。

這也是我想不通的地方。

那旁人難以察覺，令你失手墮地的方法？

先發制人

率先採取行動去制伏對方。

很有可能。

如果私奔成功，不但合併也會失敗，馬戲團也會倒閉，他必須先發制人。

P.49

六畫

這是一個以四字成語來玩的語尾接龍遊戲，大家懂得如何接上嗎？

先發制人①
□
□
②生□□虎③
□
□
尾

①在緊急情況下想出好主意。
②形容人精神有生氣。
③初時聲勢浩大，但後勁不繼。

例句：他在比賽開始就先發制人，把比分拉開，令對手難以追上。

粉身碎骨

全身骨頭粉碎，失去性命。亦有為了目的而自我犧牲的意思。

我終於明白，假如當時我稍不留神，就會摔個粉身碎骨。

十畫

P.62

這裏四個成語，各自都缺了一個字，你懂得嗎？

粉□太平　　功□身退
支□破碎　　毛骨聳□

例句：他已下定決心，就算粉身碎骨也要完成任務。

忘恩負義

忘記別人的恩情，反而做出傷害對方的事。

里克曼先生無私地養育我，又教導我成空中飛人。

如果我告發他的兒子，就是忘恩負義了。

P.62

例句：他不但沒有報父母的養育之恩，還欠下巨債後一走了之，真是忘恩負義。

很多成語都有「忘」字，大家知道以下幾個嗎？

□□忘餐
專注得忘記吃飯和睡覺。

□□難忘
一輩子都不會忘記。

□□不忘
記憶力很好，看過就不會忘記。

眾目睽睽

P.63

大家都注視着。

而且我和艾瑪已約好在5月6日一早出走，出事那天是最後一次表演。

只要小心提防，我想不到他如何在眾目睽睽之下行兇。

例句：那膽大包天的劫匪竟然在眾目睽睽之下犯案。

最後兩字是疊字的成語有很多，你懂得這幾個嗎？請從「楚楚、沖沖、夭夭、惶惶」中選出正確答案。

怒氣□□　　衣冠□□

人心□□　　逃之□□

意外背後的陰謀

他害我的手法……

實在太陰險了!

我已和艾瑪約好在5月6日私奔,5月5日是我最後一次演出。

我以為只要小心,他就無法行兇。

我已檢查過,秋千沒有被動手腳。

接下來只要留意他的動作就好。

68

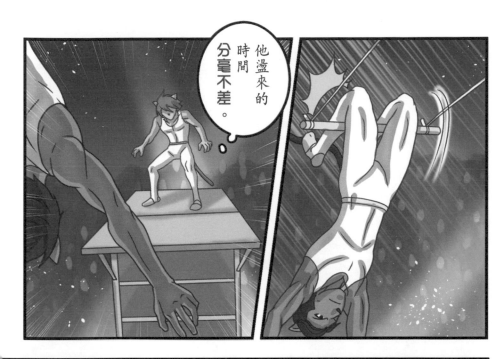

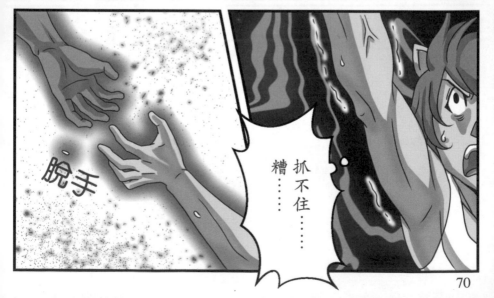

我醒來時，聽到兩個聲音在說話，可是我用盡力氣也無法睜開眼睛。

而且身體完全沒有感覺，我只知道自己動彈不得。

我聽得出是奧蘭多和團長爭吵的聲音。

爸，你怎能懷疑我？是哥林抓不住我才失手的。

哥林身手這麼好，怎會抓不住你？

我怎知道，可能他心緒不寧吧。

他早已計劃與艾瑪在表演完後私奔，是心中有鬼才失手吧。

72

沒有人想意外發生，但這可能是天意。

……

這……

如果私奔成功，合併就會告吹。現在他摔癱了，就不能阻止艾瑪的婚事。

就算這樣，艾瑪也不會答應。

她一定會答應的。

為了讓哥林得到最好的治療，她會願意犧牲。

你想說甚麼？

我們已負債累累，無法支付留院費。她為了籌措費用，還有別的選擇嗎？

你——

……

團長氣得走了。

哼！

哥林啊……

是奧蘭多。

74

別怪我無情，是你不好。

你不是打算與艾瑪私奔，我也不會下重手，安息吧。

這是挑釁——

不過也是最可信的證言！

……嘿嘿

他走後，我睜開眼睛，看到日曆寫着5月11日。

MAY
11

我昏迷了6天，這一天，我決定要復仇！

我明白了。你抓住奧蘭多……

卻無法抓緊，是甚麼原因？

那瞬間我沒想到……

但恢復意識後就想通了。

是油。

奧蘭多在手肘和前臂塗上透明的油，我根本抓不住，可說能殺人於無形。

原來如此，難怪艾瑪會找我。

她雖然沒有直說，但一定注意到可疑。

相信里克曼先生也懷疑，但意外後奧蘭多有充足時間抹去那些油。

有道理，可是你為何不叫艾瑪協助告發他？

我當然想過，但憑我的一面之詞，能令他入罪嗎？

況且首要是保護艾瑪，奧蘭多不死，總有辦法令艾瑪屈服，下嫁那老頭子。

所以你指使別人去殺他。

正是。

你的幫兇如何令奧蘭多失手?

你既已認罪,告訴我們行兇方法也無妨吧。

對不起,為保護朋友,我無可奉告。

……

我說完了,請叫警察來落口供,證明艾瑪的清白。

看來他仍有所隱瞞。

78

噗！

啪！

可惡！

被他逃走了。

呼

怎麼了？那人是誰？

沒看到樣貌，但身手矯捷，肯定是馬戲團的人。

馬戲團的人？為何要逃走？

可能是那幫兇來向哥林報告結果。

對，我們是案發後最早來到的。

沒錯，我看到探病訪客表時已知道。

那張表還讓我知道哥林假裝昏迷，因為……

你不是看不清樣貌嗎？

訪客表已說明一切。

應該是里奇，那高個子小丑。

哥林甦醒後只有4人曾探望他，奧蘭多不會殺自己，疑兇只剩下里克曼、艾瑪和里奇。

黑影的身形不像里克曼，艾瑪又已被補，那只餘下里奇，而且身形也相似。

84

果然有里奇的簽名，證明他剛剛來過。

原來如此。

還有方法去驗證，看看訪客表就知道。

總之首要找到里奇，看他肯不肯招認了。

一面之詞

單方面的理由和說法。

P.77

我當然想過，但憑我的一面之詞，能令他入罪嗎？

況且首要是保護艾瑪，令艾瑪屈服，下嫁奧蘭多不死，總有辦法那老頭子

例句：發生衝突時，不能單憑一面之詞就妄下定論。

一畫

很多成語都有「之」字，你懂得把正確答案連在一起嗎？

立足 ● 　　地主 ● 　　難言 ● 　　切膚 ● 　　黔驢 ●

之痛 ● 　　之地 ● 　　之誼 ● 　　之技 ● 　　之隱 ●

無可奉告

例句：那件意外仍在調查當中，因此無可奉告。

沒有可以告訴對方的事。

對不起，為保護朋友，我無可奉告。

……

P.78

這裏有十二個調亂了的字可組成三個四字成語，而每個都包含一個「可」字，你懂得把它們還原嗎？

模 羅 可 計
無 可 兩 門
棱 可 施 雀

我的答案：
① ＿＿＿＿＿＿
② ＿＿＿＿＿＿
③ ＿＿＿＿＿＿

十二畫

三個疑犯

請問里奇在嗎?

里奇?不在啊!可能又去喝酒了。

里奇不在,通知李大猩他們吧。

咦?怎麼來了?你們

有新線索嗎?

小丑里奇才是頭號疑犯,在醫院發生了些事,所以來通知你們。

88

艾瑪，你說你是兇手？

不信你自己問啊。

……

我的直覺準吧！她才是真兇！

對……

是我在咖啡中落毒的。

嘿嘿,我說里奇畏罪潛逃後,她馬上就認了。

你不是矢口否認嗎?為何忽然又招認了?

………

里奇是好人,你們別冤枉他。

哥林已認罪,是他指使你的,對嗎?

………

……甚麼

不！

他知道我想報仇後，馬上阻止我，還說爸爸會傷心。

那你為何置若罔聞？

我恨死哥哥，他太沒人性了，我不能原諒他。

可是哥林為何認罪呢？

他知道我被捕，想為我洗脫罪名吧！

你報仇的事，還有人知道嗎？

沒有，里奇也不知道。

有道理，他癱瘓後已失去自由，扛下罪名也沒有損失。

他只是聽到你們的對話，以為哥林是主謀，我是幫兇。

原來如此。

哦。

我們出去商議一下。

94

你怎知道哥林不是主謀?

我試探過,他連殺人方法都不知道,又怎會是主謀。

你認為她的口供可信嗎?

可信度很高。哥林不是主謀,他只是因艾瑪被捕才認罪。

此外,知道奧蘭多真面目的只有艾瑪和里奇,艾瑪被捕時,里奇還未知真相。

他是在病房外偷聽到後,立即演出**畏罪潛逃**的好戲,以挽救艾瑪。

有道理！

這樣就能起訴艾瑪了！辛苦你們啦！

哈哈，就算狐格森找到里奇，也是白忙一場呢。

我去寫起訴書！

這次還不氣死那臭狐狸！

沒想到艾瑪委託你調查，反被你證實是真兇。

是啊……

華生，馬上準備出門！

甚麼？

大清早的，甚麼事啊？

孖寶找到里奇，而里奇也認罪了！

甚麼？

蘇格蘭場

你們終於來了……

審問了兩小時，他仍堅稱自己是兇手，你們來問吧。

……對，我都不想說話了，交給你們……

里奇，你認得我們吧？

認得，奧蘭多死時，你們也在場。

還有昨晚在哥林的病房內。

你聽到我們和哥林的對話？

都聽到，哥林是好人，沒有把我供出來。

但為何現在又招認呢？

給你們逮住了，不想認也得認啊。

而且不想艾瑪為我扛罪。

你是為了保護艾瑪才這樣說吧？

嘿，我沒這麼偉大。

人不是我殺的話，我才不管呢。

里奇說的
也有道理。

真的嗎？
那在艾瑪被捕時，
你為何不招認？

因為艾瑪
不是兇手，
大概很快會
獲釋，我沒
必要主動
出頭啊。

你們識破哥林
假裝昏迷後，
我知道警方
遲早會找上門，
只好逃亡了。

那你承認是
哥林主使的？

不，與哥林
無關。

我趁艾瑪不在時，
向他提過報仇，
但他極力反對，
還說團長
會傷心。

哥林只是想扛下所有罪名，也由於他太好人，才容易遭人暗算。

其實他第一次遭暗算前，我看到奧蘭多偷偷從帳篷出來。

但我當時喝醉了，沒提出質疑，錯過揭發他的機會。

為了補償，我必須親自下手。

所以殺人全是我的主意。

明白了。

很棘手。只能證明哥林曾勸阻報仇。表示不管是誰提出，當時兩人都在場。

怎樣？你相信他的口供嗎？

啊，他們都說對方不在場，就是說謊了。

可是沒有物證，無法知道誰是真兇，那怎麼辦？

嘿嘿！

我雖然無法證明誰是兇手，卻能證明誰不是兇手。

真的嗎？

104

矢口否認

堅持不承認。

例句：無論他提出多少證據，對方都矢口否認。

你不是矢口否認嗎？為何忽然又招認了？

P.92

五畫

與身體部位有關的成語有很多，你懂得這幾個嗎？請從「心、目、舌、唇、耳、口」中選出正確答案。

掩人□□　　苦□婆□　　瞠□結□

□直□快　　□聞□睹　　□槍□劍

置若罔聞

雖然聽到，卻不加理會。

P.93

例句：他對安全指引置若罔聞，結果真的發生意外了。

這是一個以四字成語來玩的語尾接龍遊戲，大家懂得如何接上嗎？

置若罔聞 ①只是聽到就令人恐懼。

□
□

膽□□天 ②形容非常大膽，肆意妄為。

□
□

縫 ③比喻完美得沒有一點瑕疵。

十三畫

那你為何置若罔聞？

他知道我想報仇後，馬上阻止我，還說爸爸會傷心。

甚麼！

不！

一個問題

三個人都堅稱自己才是兇手！

可惡！他們三人互相包庇，瞧不起我們蘇格蘭場嗎？

從未見過這種事，太奇怪了……

不要緊，我會找出真兇。

剛才說證明不是兇手的方法，也適用於里克曼先生。

108

一般情況下，兇手都會千方百計去開脫，但這案子很特別。

如果真兇在三人當中，兇手為保護其他人，必會說出答案。

甚麼方法？

一個問題！如果三個都無法說出答案，就代表他們都並非兇手，相反，能說出答案的人就是真兇。

十分鐘後

你們三人都自稱是兇手，究竟誰才是真的？別再鬧了！

是我！爸爸為何在這裏？

是我才對，與艾瑪和團長無關。

……嘿！

你們兩個，團內的動物死了也泣不成聲，怎敢殺人？

我才是殺奧蘭多的人！

夠了！讓我問一個問題，你們的答案會告訴我誰不是兇手。

你們選擇回答的話，就在紙上寫上答案吧。

這⋯⋯流浪狗？

是那對在路邊樹下獻花的母女！

原來那被毒死的流浪狗，就是里克曼用來測試毒性的犧牲品。福爾摩斯竟能把兩件事聯繫起來，太厲害了！

意外當天，我們去馬戲團途中遇到一對母女在獻花，悼念一隻被毒殺的流浪狗。

那是兇手為測試尼古丁毒性而下的毒手，只有真兇才知道答案。

團長，那隻狗是你殺的吧？

是……是我做的……

……

之後在奧蘭多的咖啡中落毒。

我偷了香煙，提煉出尼古丁，並用小黑測試。

但他竟企圖謀殺哥林，二人情同手足，他怎能這麼狠毒？

如非他欠下賭債，馬戲團不必合併，艾瑪也不必被逼嫁人，但這些我都能原諒。

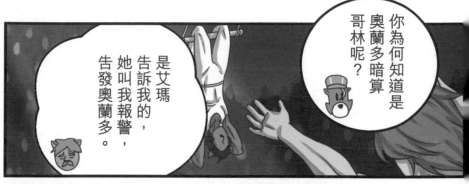

你為何知道是奧蘭多暗算哥林呢?

是艾瑪告訴我的,她叫我報警,告發奧蘭多。

但我阻止了她,要求她在完成最後一場表演後才報警。

其實我知道是奧蘭多所為後,我決定親手懲罰他,所以⋯⋯在他的咖啡裏⋯⋯

嗚啊——

嗚——

真是複雜的奇案呢，幸好真相大白了。

對，但真相令人心情沉重呢。

關係真錯綜複雜啊。

crown
皇冠馬戲團

哥林
以為艾瑪是兇手，為保護她而自認兇手。

意圖謀殺

保護

艾瑪
以為里奇為哥林報仇而殺了奧蘭多，為保護他而自認兇手。

保護
保護

里奇
以為艾瑪是兇手，為保護她，故意逃走轉移警方視線，被捕後自認兇手。

落毒謀殺

保護

保護

里克曼
起初以為警方沒有證據起訴艾瑪，故沒有自首。但知道艾瑪認罪後，為證明艾瑪的清白而招認行兇。

118

這案揭示了人性最醜惡的一面，也看到人性最善良的一面，只可惜里克曼先生使用了法理不容的方法去懲罰兒子。

沒想到華麗的表演中，竟接連上演了兩齣空中的悲劇。

千方百計

例句：他費盡千方百計，仍無法解決眼前的難題。

以下的字由四個四字成語分拆而成，每個成語都包含了「千方百計」的其中一個字，你懂得把它們還原嗎？

```
干 興 穿 逢 _____
艾 方 言 楊 _____
載 未 百 從 _____
步 聽 難 計 _____
```

P.109

一般情況下，兇手都會千方百計去開脫，但這案子很特別。

如果真兇在三人當中，兇手為保護其他人，必會說出答案。

大義滅親

P.116

例句：他勇敢地大義滅親，出面指證哥哥的罪行。

就算是親人犯了罪，為了維護公義，也不會包庇徇私。

他實在罪無可恕，可是這隻獸不如我的兒子是我教出來的。

我必須為此負責，大義滅親！

很多成語都有「義」字，大家知道以下幾個嗎？

□□棄義　背棄信用和道義。

□□取義　不顧文章的原意，只截取需要的內容。

□□忘義　貪圖利益，做出不理道義的事。

偵探小說中的「時間」

　　偵探小說常常涉及時間和地點，搞錯了的話，會讓讀者笑話。

　　地點通常與地名和場景有關，作者容易記住。但時間就不同了，甚麼10時15分、12月24日等等，都是些數字，看上去都差不多，稍一不慎就會寫錯。所以，我在下筆前都會畫一個給自己看的案發時間表，寫作時可用來對照參考，減少出錯的機會。

　　此外，在故事中加插時間和日期，在表達上也得花些心思。

　　比較複雜的，最好用單刀直入法，索性把時間表刊登出來，讓讀者一看就懂，如本集p.53的探病時間表。

　　有時為了暗中佈下伏線，會用插圖，如小說第26集p.10的月曆和p.22的手錶等等。

　　當然，偶爾也會用間接的寫法，如本集p.9和p.11，就借助英超的足球賽來表達時日的經過——阿士東維拉連贏三隊取得冠軍，暗示p.9與p.11之間已相隔了好幾天。

　　「時間」看似簡單，其實並不簡單也。

科學小知識①

【擺的法則】

所謂「擺」（pendulum），就如圖1所示的裝置。

「擺的法則」由伽利略所發現。簡單來説，有三個法則。現在以一問一答的形式來解釋。

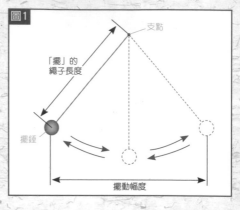

圖1
支點
「擺」的繩子長度
擺錘
擺動幅度

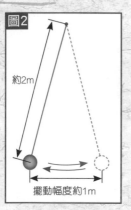

圖2
約2m
擺動幅度約1m

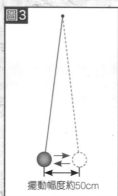

圖3
擺動幅度約50cm

問1：同一個「擺」，它來回一次的時間，會受擺動幅度的大小影響嗎？

答1：雖然圖2的擺動幅度是1m，而圖3的擺動幅度是50cm，但兩者來回一次的時間是一樣的。「擺」的第一個法則就是：就算擺動幅度不同，「擺」來回一次的時間依然相等。

問2：同一個「擺」，它來回一次的時間，會因擺錘的重量而受影響嗎？

答2：雖然圖4的擺錘較重，而圖5的擺錘較輕，但兩者來回一次的時間都是一樣的。「擺」的第二個法則就是：就算擺錘的重量不同，「擺」來回一次的時間依然相等。

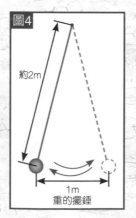

圖4
約2m
1m
重的擺錘

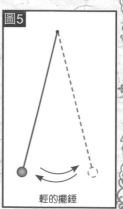

圖5
輕的擺錘

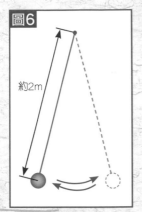

圖6

約2m

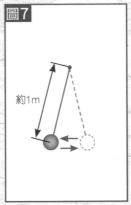

圖7

約1m

問3：同一個「擺」，它來回一次的時間，會因繩子的長度而受影響嗎？

答3：圖7的繩長是圖6的繩長的一半，前者來回一次的時間比後者短。「擺」的第三個法則就是：繩子的長度會影響「擺」的擺動速度。繩子較短，「擺」來回一次的時間也較短。

　　本故事中，奧蘭多曾在秋千上動了手腳，他把秋千的長度調短了，令秋千擺動的速度快了一點，哥林幾乎因此失手跌死。不過，由於奧蘭多害怕被人發現，故沒有把秋千調得太短（可能只調短了半呎）。在這種情況下，秋千的擺動速度也只是快了一點點，故身手敏捷的哥林仍可捉住他的手肘，令他的奸計未能得逞。

科學小知識②

【尼古丁（nicotine）】

　　香煙中含有的其中一種生物鹼，是無色和有臭味的液體。它在室溫中也有很強的揮發性，氧化後會變成褐色，並易溶於水中。尼古丁有劇毒，能引致神經中樞和末稍神經興奮，使腸和血管收縮，並因而令血壓上升。

　　服食或人體被注入液態尼古丁，會引起急性中毒，令中毒者產生嘔吐、頭痛、痙攣和呼吸困難等症狀，嚴重的話，中毒者甚至會心臟麻痺而死。不過，更普遍的是由吸煙引致的慢性中毒。

　　人在吸煙時會把尼古丁吸進肺內，而肺能迅速吸收尼古丁，並在6～7秒之間直達腦部。由於尼古丁能助長腦部產生令人感到幸福和快感的多巴胺（dopamine），所以，當吸煙上癮後，一旦血液中的尼古丁含量減少，人們就會為了獲得快感而吸煙，以補充尼古丁。

　　長期吸煙會令人產生很多疾病，甚至致癌。所以，大家切勿為了一時之快而吸煙啊。

四字成語遊戲答案

答案以紅色字表示。

P.26

裝腔作勢
裝神弄鬼
裝模作樣

哄堂大笑
罄竹難書
一毛不拔
出生入死

P.25

藏頭露尾
喜出望外
馬首是瞻
指手畫腳

前仆後繼
南轅北轍
東歪西倒
左顧右盼

P.45

禍從口出
福如東海
罪魁禍首
作威作福

五花八門　三頭六臂　四分五裂
七零八落　九牛一毛　一石二鳥

P.46

樂而忘返
擇善而從
輕而易舉

雞飛　　麟角
鳳毛　　買馬
鏡花　　狗跳
招兵　　水月

P.65

先發制人
　　急
　　智
　生龍活虎
　　　頭
　　　蛇
　　　尾

粉飾太平　　功成身退
支離破碎　　毛骨聳然

廢寢忘餐
沒齒難忘
過目不忘

怒氣沖沖　衣冠楚楚
人心惶惶　逃之夭夭

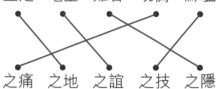

立足　地主　難言　切膚　黔驢

之痛　之地　之誼　之技　之隱

模棱兩可
門可羅雀
無計可施

掩人耳目　　苦口婆心　　瞠目結舌
心直口快　　耳聞目睹　　唇槍舌劍

千載難逢
方興未艾
百步穿楊
言聽計從

背信棄義
斷章取義
見利忘義

置若罔聞
風
喪
膽　大　包　天
衣
無
縫

第13集 空中的悲劇

原著人物：柯南・道爾
（除主角人物相同外，本書故事全屬原創，並非改編自柯南・道爾的原著。）

原著&監製：厲河　　　**人物造型：余遠鍠**

漫畫：月牙

總編輯：陳秉坤　　編輯：郭天寶

設計：葉承志、麥國龍

出版
匯識教育有限公司
香港柴灣祥利街9號祥利工業大廈2樓A室

想看《大偵探福爾摩斯》的
最新消息或發表你的意見，
請登入以下facebook專頁網址。
www.facebook.com/great.holmes

承印
天虹印刷有限公司
香港九龍新蒲崗大有街26-28號3-4樓
電話：(852)3551 3388　　傳真：(852)3551 3300

發行
同德書報有限公司
九龍官塘大業街34號楊耀松（第五）工業大廈地下

翻印必究
2023年3月

第一次印刷發行

大偵探福爾摩斯

實戰推理⑦

斷劍傳說

將軍率小隊頑抗大軍至配劍折斷，並戰死沙場。多年後桑代克等人卻從其日記的暗語中，發現那截斷劍隱藏的可怕真相！

與夏洛克一起破解各種謎題！

①神秘老人的謎題

②圖書館之謎

③赤色塗鴉

④M先生的寶藏

⑤洋娃娃綁架案

⑥最後的棋局

一邊看**小**　**說**，一邊學**數**　**學**

大偵探福爾摩斯
數學偵緝系列

① 犯罪説明書
酒客被毒殺，現場遺下神秘數字表，兩者有何關連？

② 神探小兔子
小兔子自薦獨力調查鐘錶店詐騙案，到底他能否查出真相？

③ 鸚鵡迷蹤
商人巴里購得40隻鸚鵡，並聘請小兔子的好友羅拔看顧。老實的羅拔一直用心工作，但到出貨那天，卻發現少了4隻鸚鵡，因而被當成嫌疑犯。這時福爾摩斯等人剛巧到訪，巴里遂將始末告之。究竟失蹤的鸚鵡在哪裏？誰是真正的犯人？且看大偵探如何查個水落石出！

本書共收錄5個短篇故事，當中加入了多個與數學相關的謎題。大家看故事之餘，也能動動腦筋，提升數學運算與邏輯思考的能力呢！